어쩌면 봄은 눈부실수도

있겠습니다.

어쩌면 봄은 눈부실수도 있겠습니다.

발 행 | 2024년 01월 03일
저 자 | 홍하
펴낸이 | 한건희
펴낸곳 | 주식회사 부크크
출판사등록 | 2014.07.15(제2014-16호)
주 소 | 서울특별시 금천구 가산디지털1로 119 SK트윈타워 A동 305호
전 화 | 1670-8316
이메일 | info@bookk.co.kr

ISBN | 979-11-410-6334-4

www.bookk.co.kr
ⓒ 홍하 2024

어쩌면 봄은 눈부실수도 있겠습니다.

어쩌면 봄은 눈부실수도

있겠습니다.

홍하 지음

빛나는 사람

꿈이 있다면 난 행복이란

꿈을 꾸겠다.

행복이 있다면 난 기적을

바라겠다.

기적이 있다면 난

또 다시 행복을 바라겠다.

난 그 행복을 바라고

기적을 바라고

또 다시 행복을 바란다.

내 세상은 온통 행복 뿐인가 보다.

시인의 말

그대들의 아픔이

상처를 무렵쓰고 봄이 찾아오길

바랄 마음 뿐 입니다.

2023 겨울 홍하.

차례

1부 어쩌면 봄은 눈부실수도 있겠습니다.

2부 여전히 애틋한 그대에게

4부 어쩌면 그댄 별이 될수도 있겠습니다.

어쩌면 봄은 눈부실수도 있겠습니다

단풍잎

저 멀리 있는 나무에

가을이 묻어있는 단풍잎이

있습니다.

단풍잎에는 봄과여름의

추억과

겨울의 기대감과

다시 가버릴 그리움이 있습니다.

그 그리움을 보내고

다시 올 가을을

기다리며

나는 오늘의 가을을

떠나 보냅니다.

젊은이의 하루

한 젊은이는

하루가 길어도

두려워 하지 않고 또한 하루가

짧아도 슬퍼하지 않았습니다.

그 사람의 하루엔

끝나지 않을

포기할수 없는

끝내 이루어질

조그만 꿈이 들어 있기 때문입니다.

끝내 그꿈이 이루어지지

않더라도

그 젊은이는

오늘의 나를 만족할 것 입니다

실수

.오늘의 실수

내일의 실수

나에게 다가오는

그 많고 많은 실수들을

나는 오늘의 실수를

쉼표 찍고

오늘날 나의 흔적을

만들어 냅니다.

그런 날

맑은 공기를 마시며

먹구름 한점없는

새파란 하늘을 보며

하나 둘씩 떨어지는

잎들과 다시 피어나는

꽃잎 하나하나를 보며

빛추는 오늘은 그런날 이었다.

비오는 날

빗방울이 잔잔하게 내리고

더운 습한공기가

스라리어서

하나의 비를

떨어지는 속도처럼

좋아하지 못할것이라

생각하리

그 조그만 꿉꿉함은

비의 흔적이라

느껴 지리라.

민들레

작은세상을 보고 싶었던

민들레는 가다가 넘어지고

바위틈에 걸렸다가,또 다시

피어오른다.

민들레는 꿈을 꾸었다.

세상 한부분이 작은 잎처럼

아름답기를

새싹은 자라고

사람은 빛나고

구름은 푸르고

해는 뜨겁고

민들레는 세상을 보았다.

작은 잎처럼

민들레는 꿈을 꾸었다.

아주 예쁜꿈을.

별의세상

비가 온 거리에는

비가 내린 흔적으로

가득하였다.

햇빛은 보이지 않았고

보이는건 먹구름 뿐이었다

그러자 하늘엔 별하나가 피었다.

그별은 어두웠던 하늘을

빛내주어

하늘을 아름답게 해주었다.

별의세상은 따스한 햇살이었다

다시 별이지고 햇살이 피었다.

그 햇살은 별하나보다

빛났고

더욱 따스했다.

별이지고 보던햇살은

더욱 눈부셨다.

마치 별의 세상 처럼.

경비 아저씨

경비 아저씨 올해도 내가 학교를

걸어갈때 먼저 손을 흔들어 주시네

난 이 추운겨울 조끼와

발목양말을 신고 돌아다니시는

경비 아저씨 이해되지 않는데

경비 아저씨 내가 물어보니

마음만으로 견디는 것이

겨울이라 하시네

그후 내가 학교에서 짠

목도리 하나 드리니

웃으시며 받으시네

겨울은 마음만으로도

버틸수 있는 계절인가

보네

그렇게 웃으시는거 보니.

달필무렵

꽃잎의 세상엔 늘

달한송이가 있었다.

푸르고 설렜던 달한송이

별들에 가려져

빛을 피우지 못하고

져버린 달한송이

달한송이는

늘 꽃잎처럼 눈처럼

작은 잎처럼

아름다웠다.

그렇게 달한송이는

눈부시게 세상을 비추다가

아름답게 세상에서

져버렸다.

연필 한자루

그댄 연필 한자루로

날 그려주었습니다.

난 고마워

그대에게 내 작은시를

선물해주었습니다.

그대가 웃었습니다.

난 그 연필한자루로

그댈 눈부시게 하였습니다.

손

난 오늘 상처많은 당신과

손을 잡았습니다.

당신의 손은 무척이나

따뜻하였습니다.

당신이 어떤 많은 상처를

가지고 있을지 나는

생각밖에 할수없었습니다.

당신의 그아픔을

난 알수없었습니다.

부디 잘 견뎌내길

바랄 마음 뿐 입니다.

그대의 자격

그대는 오늘도 수고많았습니다.

꿈에서라도 그대를

응원하고 싶었습니다.

울고 웃고를 반복하여

계속되는 하루를 버틴

그대는 오늘도 정말

빛났습니다.

하루의 끝을 버틴

그댄 정말

그대답게

꿈에서라도

응원받을 자격이 있기에

그댄 정말 수고많았습니다

노을의 방황

흐린 안개가 질때

넌 그 안개에 스며들었더라

흐린안개가

짙은 노을이 되니 넌

그제서야 웃더라

시간이 지나고

짙은노을이 너에게

다가가니

넌 짙은노을이 되었더라

눈 사람

널 안고 싶었다

넌 너무 차가워

안을 수가 없었다

그래서 내가 너에게

목도리 하나를 선물해주었다

그러자 니가 웃었다.

니가 웃으니 나도 웃었다

목도리를 맨 너의 모습은

어린꼬마들도 널보며

웃게 만들었다..

그날은 너로 인해

36

작은 봄이 피었었다

생

내 생은 추억과 사랑과

버틸려고 애썼던 힘과

내 작은눈물로 가득하였다.

내생엔 작은 간절함이 들어있었고

소리없이 젖은배게와 눈물 들어있었다

내 생은 따스함은 없었고

어두운 밤이 계속되었고

내 생의 꽃잎을 바라던 나는

그제서야 이 꽃이

뜨거웠던 내삶의 빛이란 걸

알게 되었다.

꽃잎이 선물해준 편지

잘지내냐고 편지가 왔다

그 편지 속 내용의 주인은

내가 몇 년전에 본 한 소년이었다.

내가 그 소년에게

작은꽃잎을 선물해 주었더니

그 소녀이 내게

편지를 적어서 보내주었다

고마웠다고

추운 날

오늘 밤은 어찌나

추운지

입바람을 후우 불면

입김이 나오더라

아침은 따스한 바람이

불었는데

밤은 왜이리도 추울까

오늘은 하늘의 별빛마저 추워보이더라

마음이란

전기장판에 불을 올리고

한시간쯤 지나보니

장판 속은 따뜻하였습니다.

내가 찬물을 마시고

누워서 그런지 더욱

내몸을 녹였습니다.

그리고 또 한시간쯤 지나

배와 몸이 따뜻해지자

장판속은 너무나 더워졌습니다.

그래서 장판을 벗기자

열기가 흐르고

또 열기가 식었습니다.

그게 내 마음처럼 느껴졌습니다.

같은사람은 같을 수밖에

그 이가 세상밖에 있을때

난 그 이를 향해 한걸음 걸어가 주었습니다.

내가 세상밖에 있을땐

그 이가 내쪽으로 다가와 주었습니다.

어쩌면 세상은 빛줄기 하나로도

존재할수 있을 것 같이 느껴지는걸

난 그 이가 내게 손을 내밀었을때부터

알고있었습니다.

그저 같은사람이라는 것을

알고 있었기 때문입니다.

안녕이란 의미

한 아이가 내게

안녕이라 답하였다.

그후 내가 그 아이에게

안녕이라 답하였다.

안녕의 끝맺음은

따스함이었을까

슬픔이었을까.

바람이 불면

바람이 불때

그 아이가 내게

손을 흔들었습니다.

해가 뜰때 그 아이는

내손을 잡아주었습니다.

바람이 그치니

해가 떴습니다.

햇살은 바람의 눈물을

말려주었던 것 입니다.

상

어둡던 하늘은

어느새 나를 향해

비추고 있었고

눈물로 쓴 일기장은

나의 소망으로 가득차

햇살을 볼수있는

꽃봉우리가 되었고

세상을 가질 것 같았던

나의 작은 흉터는

결국 꽃을 피워

무척이나 아름다웠다.

내꿈은 넓은바다와

작은세상이였으나

그 꿈을 이루지

못하고

나의 꽃을 피웠어도

나의 삶은

상이었다.

주인공

그대의 세상엔

내가 있었을까요?

난 궁금해 물어보았습니다.

그댄 아무말 없이

미소만 지을뿐 이었습니다.

그대 세상은

그대로 가득찼나봅니다.

빛나는 사람

꿈이 있다면 난 행복이란

꿈을 꾸겠다.

행복이 있다면 난 기적을

바라겠다.

기적이 있다면 난

또 다시 행복을 바라겠다

난 그 행복을 바라고

기적을 바라고

또 다시 행복을 바란다

내 세상은 온통 행복 뿐인가 보다.

2부 여전히 애틋한 그대에게

꽃과 어둠의 회상

잔잔한 사랑은

그저 미지근함의 끝이었고

그 한줄기를

사랑한 그대에 대한

내 사랑 이었다.

저 노을빛은 멈출지

몰랐고 하늘위 구름은

꽃잎의 회상 같았다.

그대는 날 만나

어둠에서 빛이 되었고

난 그대를 만나

꽃을 피웠던것이다.

시소

시소의 균형을

맞추려고 너와같이

움직였다

어느사이 균형이

맞쳐지니 너와나는

미소를 지었다

너와나는 같은 마음이었나보다.

빗물의 기억

빗물은 기억합니다

자신의 눈물이

다른이를 기쁘게 했는지

슬프게 했는지

빗물은 왜 그리도

서글픈지 모르겠습니다.

어쩌면 이 서글픈 빗물이

누구를 밝혀줄지도

모르겠습니다.

빗물은 기억합니다.

서글픈 그 눈물을

기억합니다.

그 이

그 이가 잔잔한 노을빛

아래 서있었습니다

난 그 이가 너무 그리워서

그 이의 이름을 불렀습니다.

그러자 그 이는

어느새 노을빛에 취한듯

내 목소리를 잊은듯 하였습니다.

그 이와 함께한 내세상은

작은 민들레한송이의 계절같았습니다.

이 계절이 어느새

봄에서 겨울로 바뀐듯 하여

오늘 난 그 이를

불러보았습니다.

난 잠시라도 그 이와

봄을 만들고 싶어

그 이의 이름을 불렀는데

그 사람은 저 노을빛의

계절이 부러운가 봅니다.

그 사람에게

한때 내가 좋아했던

그 사람은

연한 향수냄새를 풍겼고

곱슬머리에 큰 눈동자로

날 바라보았다

내가 그 사람을

바라보았을때

그 사람은 어떤마음이었을까

아마 봄대신 겨울이

아니었을까

생각이든다.

꽃

세상엔 꽃 한송이가

핀다.

아주 예쁜 꽃

보고픈 사람

우리 엄니

자식 나두고

먼 여행 가셨나.

노을지고 별빛 무수한 이밤에

어딜 가셨나

엄니,엄니 불러보아도

대답없구려

내가 그리 가야하나

생각하네

엄니 그리워 막걸리 한병'

파전 한접시 구워먹네

지나가던 우리동네

이장님 날 보더니

내손 잡아주네

울지 마라 사내야

엄니 우신다

우리 엄니 꿈에서라도

나오시면 좋겠네

추억

새 한마리 새 인생

살고 싶어

부리를 돌에

밖아 깨지며 피가 흐르는

저 부리 바라보네'

새 한마리 아플만 한데

참고 눈물 흘리네

우리 아버지

저 모습 보더니

내 인생에도 저럴때가 있었지

말씀하시네

목이 찢어져라 소리지르고,

애원하고,증오하고,사랑하고

미워하고

새 한마리 저 피와눈물을 후회하지

않았으면 좋겠네

저것이 나중엔 기나긴

추억으로 버져있을 테니

라고 말씀하시네

한줄기의 바다

바람 한조각이 순수한 향기로

날아 오른다

한조각은 세상에 핀

꿈틀이는 애벌레 같고

저 푸른 하늘에

맑은 빛이 되어

소금 같은 향기를

뿌리며 날아오른다.

그 향기의 세상은

빛과 어둠사이

하나의 바다 같고

바다 안의 작은 빗물이

해가 뜨기전

더욱 아름답게

피어오른다.

바람의 소망

지나가던 바람이

스치며 불길 원하다

작은풀잎의 향기에 취해

생각하였다.

세상을 꿈꾸게 하려하니

이바람이

세상을 받쳐주겠다고

바람은 생각하였다.

이 바람이 누군가에겐

따스하길

누군가에겐

아름답길

누군가를 꿈꾸게 하길

바람부는 세상에

바람은 다시 불어온다.

누군가를 빛추기위해

소원

바람부는 하루에

피어나는 새싹 같다고

생각해본적 있는가

가시 박힌 하루를

산다해도

작은 울림에 비추는 사람이

되본적 있는가

그 마음에 흉터를

남기고 울면서

애원한적 있는가

꿈을 꾼다는 생각은

그저 빛나기만한 흔적 같으니

선선한 바람이 불 때

생각해보아라

그대들의 하루엔 넓고넓은

하늘이 펼쳐져 있다는 것을

세상

세상은 오늘 더욱 눈부셨다.

난 작은 빗물이 주는 울림에도

꿈을 꾸었다

내 눈물속에 작은 꽃들이

피고 있다는걸

몰랐을땐

그저 잊혀질 그늘로만

알고있었다.

내 인생에 절벽에 섰을땐

그저 추운 겨울이라 느껴졌고

다시 꽃을 피웠을땐

난 그게

나의 꽃한송이의

계절이란걸 알았다

그 꽃한송이가 내삶이란걸

'알았을땐

난 벌써 꽃을 피우고

있다는걸 알았다.

바램

세상의 저 노을은

왜 저렇게 예쁠까

생각했다

저 노을의 향기는

날 저절로 움직이게

만들었다

노을빛의 하루끝은

어떨지 상상도 못했다

그러나 난 저 노을이

날 조금만이라도 받쳐주길 바랬다

용기

매일 웃던 니가

그런 아픔이 있었는지

항상 행복한줄 알았던

니가 큰 상처를 품고 있었는지

난 몰랐다

니가 그 상처들을

덮으려고

애쓰고 있어서

눈이 부시게

그대는'

나의 바램이었습니다.

하루가 지나고 또 하루가

지나도 그댄

나의 소망이었습니다.

빛줄기 같았던 그댄

눈부셨습니다.

나의 소망이 빛날것 처럼

아름다웠습니다.

꽃 생

흐린 날에도 해가뜬다

맑은 날에도 비는 내린다

그게 인생이다.

지침

작은 꼬마가 내게 물었다

슬퍼보인다고

난 몰랐다

그 의미를

눈을 뜨고 감는게

바빴던 나는

내게 비가 내린다는걸

몰랐다

나의 지침을

알아차리지 못하여서

상처 투성이

강하게 보였던

내 마음은

그저 겁쟁이였다

항상 행복해 보이던

거울의 내모습은

내 내면을 숨긴

내 모습이었다

나의 상처들을 숨긴 나는

행복해지고 싶은 겁쟁이였다.

예쁜눈물

이렇게 많이 쓰다듬었더니

넌 밝아 보이더라

눈물을 닦아주었더니

넌 한걸음 내디더라

울어도 된다하니

넌 그제서야 울더라

아주 예쁘게

단풍의 소망

단풍이 졌습니다.

그렇게 나를 울리고

달래고 밝혔던

단풍이 졌습니다

붉게 물든 단풍이

질 때 난 이 가을이

나의 소망이었다는걸

'전해주었습니다.

꽃이 피는 이유

너의 생은 우는날이 더 많았고

상처를 심은 날이 더 많았다.

그러나

그 상처가

싹을 피우더니

결국 넌 꽃이 되었다.

커피사탕

할머니가 커피사탕을

주셨다. 할머니가 주신 커피사탕은

잠든 날 깨웠다. 그 사탕이 어찌나

맛있던지 다시 하나를 달라고 했다.

그러자 할머니께서 날 걱정하셨다.

많이 피곤한가하고

이 커피사탕은 할머니의

걱정이었던것이다.

예쁜사람

날보고 그 이가 웃었다

그 이가 말했다.

예쁘다고

나도 그 이에게 말했다

웃는 모습이 예쁘다고.

3부 눈이 부시게

모두 같은 생각

학생들은 시험 치는 것을

증오하고

스물 그 초반

청년들은 자신들이 빛나길

행복하길 바라고

어른이 되어버린 이들은

그저 좋은 사람이 되길

바란다.

봄

봄이 왔습니다.

그 많은 겨울들이 이제서야

꽃잎으로 번졌습니다.

그대의 작은세상은

어찌나 추웠는지

한번도 봄의 세상이

오지 않더니

이제야 그 웃음꽃으로

꽃잎을 피웠나 봅니다

아름다운 꽃의 일생

가장 아름다운 꽃은

가장 늦게 피더라

사람들의 눈물과 속삭임을

받고 작은 소나기가

내리면 그때

가장 예쁘게 피더라

그게 그 꽃의 일생이더라.

토요일

토요일 점심먹고

나와 바깥공기를

쐬며 하늘을 쳐다보고

학교 운동장에서

축구하는 아이들을

응원하는 보통의 날

오늘은 토요일이었다.

별이 무수히 많은 밤에

별이 무수히 많은 밤에

당신이 보낸 쪽지

한장을 받았습니다.

그 쪽지를 읽고

난 별이 무수히 많은 밤에

저 별한조각을 때어내

당신에게 보냈습니다.

며칠뒤 당신이 다시

족지 한장을 보냈습니다.

당신의 글귀는

별한조각이

달의조각으로

바뀐듯 하였습니다.

감정

당신의 웃는모습이

너무예뻐 난 그 모습을

따라할려고 하였지만

하지 못하였습니다.

당신의 우는모습이

무척이나 슬퍼보여서

난 그모습을 따라할려

하였지만

하지못하였습니다.

코스모스

그대는 오늘하루도

눈부시게

아름다웠습니다

그대의 오늘 하루는

맘속에 핀

코스모스 씨앗하나가

가을이 되기전

봄의 향기를 맡고

아름답게 피어오르는

상상 같은

하루 였습니다.

씨앗은 오늘하루를

아름답게 살아온

그대의 소망이고

그대의 소망은

오늘하루도

눈이부시게

아름다웠을

그대의 노력이

아름답게

피고 있습니다.

노을

종달새 한마리는 저 산을 가로지르며

울부짖고

피었다고 생각한

꽃봉우리는

벌써 시들고 있어서

이 모든것을

그 하루의 노을이라

생각하는 것이 맞다하니

이 세상의 노을은

오늘의 하루를 가져다주느니라.

먹구름

나를 달래고 그를 달래고

구름을 달래

햇빛은 너무 뜨겁고

빗방울은 너무 구슬프니

차라리 한편의 먹구름이

나올것 같으리라.

겨울이 따스한 이유

가을이 지더니

겨울이 왔습니다.

매번 차갑게만 느껴졌던

겨울이 올해는 따스하게

느껴졌습니다.

나의 햇살이 밝아지더니

그새 꽃을 피웠나봅니다.

갈림길

바람을 따라 걷더니

난 갈림길에 멈춰있었다.

한곳은 꽃이 피고 있었고

한곳은 꽃이 지고 있었다.

난 꽃이 지고 있는게 너무 예뻐

그 길로 걸어가보니

바람의 끝에 난 서있었다.

위로

나의 일생은 눈물과 씨앗과

꽃잎이 있었지만

꿈을 꾼다는 생각으로

살아와보니 어느덧

위로받고 싶어

그저 날 울리고 있는것

뿐이었다

순수함의 뜻

난 그대를 좋아했습니다.

그저 순수한 마음으로

좋아하였습니다.

그대를 배웅할때

그대를 보았을때

그대가 날 봐주었을때

난 그대 덕분에

이제

내 인생에 빛이 들어설것

같습니다

10월의 어느날

10월의 어느날

난 당신이 보고싶어

단풍이 내리는

나무사이를 걸었습니다.

나무사이의 그 길은

단풍이 내리고 있었습니다.

오늘은 10월의 어느

눈물 젖은 밤인 것 같습니다.

그대는 나와 같이 걸었던

이길을 기억할지 난 모르겠지만

그저 기대만 하고싶은

오늘입니다.

어미새의 마음

갸날픈 새 날개를

휘젓다 넘어진다

바다위를 헤엄쳐보고

싶어 또다시 넘어진다

가날픈새 몸이 닳도록

움직이다

결국 하늘을 훨훨 날아간다.

그것을 본 어미새

자식 증오하다

어느새 미소 짓는다

어미새 자식을 미워하려다

그저 눈으로만 미워한다

그게 어미새의

마음이더라

겨울의 봄

물방울 아래

녹색 잎들이

날 반겨주니

난 그 잎들에게 잠시

물들었구려

걷고 있던 그 이는

잠시 멈춰

날 바라봐주소서

그 이의 손을 잡을때

그 떨림을 기억해 주소서

그 이의 겨울이 봄이 되도록

날 바라봐 주소서

저 바다에

별 하나 빛이 눈부시도록

지켜봐 주소서

석양이 비추던 밤

석양이 비추던

밤 아래

그 어미새 눈물을 흘려

잠을 못청하였나

민들레 한송이 문밑에 끼여

나올 기새 안보이고

석양아래 눈물자국 보여

하염없이 눈물흘리네

그 사내 어디갔다

이제오나 쳐다보니

이 밤아래 창가에서

석양을 바라보았나 싶고

풀에 취해

굶어버린

종달새 한마리는 어미를

찾아 큰 석양을 지나

산 넘어 날아가네 싶구나.

어린 사내

그 사내 거울에 비쳐

쳐다보니

눈물을 하염없이 흘려

그 사내의 마음 한구석

서글프게 울며 노을

한조각을 비쳐가고

술에 취해 쓰러진

작은어미 자식 챙기랴

아비 챙기랴 하염없이

눈물 흘리네

그 사내 그뜻 알았나 봤더니

그저 아직 어린 사내였네

꽃,작은 꽃,예쁜 꽃

넌 그저

작은 꽃

모두 널 생각하는

그런 꽃

빛나는 꽃

넌 그저 아주 예쁜 꽃이다.

학 300마리

소년이 한 소녀에게

고마워 자신이

접은 학 300마리

선물해주네 소년이 소녀에게

얘기하네 1000마리 접으려

했다고 다시 소녀가 얘기하네

가장 예쁜 학이라고.

존재

너의 삶을 살아라

꿈을 꾸어라

넌 빛나는

존재이다

아주 예쁜 별이라는

존재이다.

노을의 주인

지하철을 내려

통로를 지나

내 방향인 1번 출구로

걸음을 옮겼다.

내가 들어선 1번 출구는

노을 빛이 내눈을 빛추며

지고 있었고

그 위에 그 사람이

이 노을을 받으며

서있었다.

그 사람은 웃으며

날 반겨 주었고

그 노을은 어김없이

그 사람을 향해 비추고 있었다.

어느새 해가지고

노을은 바다 아래로 사라지자

난 그제서야 알수있었다.

그 노을의 주인은 없다는 걸

그대와

바다에 몸을 던져

그대 손을 잡고

수영을 하고

민들레 한송이의

일생을 지켜보며

그대에게 민들레 잎송이 하나를

선물해주고

그대의 석양아래

홀로 옆에 앉아

노래를 불러보았다.

하지만 그댄 그저 날 바라보기만

할뿐 아무말도 하지 않았고

그대의 꽃 같은 생을

난 미처 알지 못했다.

바다에 몸을 던지고

민들레 일생을 구경하고

석양아래 노래를 불렀던 나는

그저 그대의 눈물이었음을

이제서야 깨달았다.

바램2

어두운 밤하늘

아름다운 안개

쌀쌀한 조명

하늘에선 구름비가 내리고

밤하늘에선 작은별 하나가

달빛을 감싼다

작은조각처럼

아름답던 빗물들도

빛하나를 위해 노래부른다.

차디찬 밤하늘의

반짝이는 별이되길 바라오니

이 작은별 하나가

세상을 지켜주길 꿈꾼다고.

4부 어쩌면 그댄 별이 될수도 있겠습니다.

눈물

눈물이 고인 그대모습을

본 나는 그대에게

물었습니다.

왜 눈물을 참으냐고

다시 그대가 나에게

대답하였습니다.

내 눈물엔 그저 미움과

원망밖에 없어

차마 눈물을 흘릴수

없겠다고

그대의 세상은

어쩌면 슬픔밖에

없을수도 있겠습니다

방향

저 끝에 서있는

소년 길을 잃었나

두리번 거리다

내게 묻네

우리 할머니가 보고싶어요

그 말 한마디에 난 눈물이

고였네

그 소년 내가 가려던 방향으로

같이 걸어가네

한 사나이

후회하지 않는 어른이

될수없을까요 그 사나이

저 산위에 보름달에게 묻네

그 사나이 며칠뒤 큰 사내가

되는데 이제서야 묻네

그 사나이 좋다는 약수 다 마시고

저 보름달에게 묻는데

그 사나이 그저 웃기만 하네

어떤 마음으로 물은것일까

꿈이라도 있는것일까

아님 어떤 바램이라도

있는 것 일까

그 사나이 그저 웃기만 하네

그 사나이 좋다는 대학

모두 붙고 좋은어른 다 만나

봤는데 어떤생각인지

웃고있는 눈에 많은 마음이

묻어나네

그 사나이 그저 행복하고

싶었나보네.

밤

해가 뜨는

오늘 밤 참 길기도 하다

눈 감으면 바로

해가 뜨는데.

좋은 날

오늘은 시쓰기

좋은 날인가 보다

저별이 날 반겨주니

오늘은 글쓰기 좋은 날인가 보다

저 달이 날 위로해주니

봄2

봄이 왔습니다.

이제서야 그대 입가에

마소가 퍼졌습니다.

그대를 많이 울렸던 겨울을 지나

다시 봄이 왔습니다.

그대를 많이 구한 여름을 지나

다시 봄이 왔습니다.

그대에게 많은 상처를 준

가을을 지나

봄이 왔습니다

봄은 그대를 따스하게

만드나 봅니다.

별빛의 세상

상처를 많이 받은

당신의 시간은 참 길었습니다.

별빛아래 당신은

눈부셨습니다.

당신의 계절은

상처 가득한

별빛의 세상이

당신을 울린 것 같습니다.

너가 예쁜 이유

넌 참 예뻤다

투정부리며 우는모습'

바람이 불때

참고 견디는 모습

내게 먼저 손 잡아주고

웃어주는 모습

너의 모든 모습은

참 예뻤다.

하늘의 계절

맥락없이 지나가던

비극이 내게 장난처럼 느껴지다

풀숲에 주저앉은채 나를 눈물 속에 가두었다.

하늘에선 오늘도 별이 비치고 있었고

나는 오늘도 눈물에 가득 찬

세상아래 움추린채 도망다니고 있었다

나는 눈물 속에 풀꽃을 피우듯

자연스럽게 외치던 숨소리 마저

내 심장을 뛰게 하였고

소금 같은 별빛마저

내게 호령하라는 눈치를 보이고

있었다.

하늘은 어느새 나를 옥죄며

영원하지 않는 어둠속에

날 뿌리쳤고

내생의 작은 꽃잎을 피우듯

작은 눈빛마저 내귓가에 속삭이다

잠시나마 하늘의계절을 바꿔본듯

하였다.

푸른 달

그대 닮은 저 푸른 달이

하늘을 가로지르며

울며 짖는다

어찌 날이 밝았는데

아직 울며짖냐

물어보니

그 달은 날보며

말하더라

내 삶은 눈물과 애원속에

가진 것 하나없는 삶을

살았기에

밝은 햇살이 잠시나마

되어보고 싶어

울며짖어 본다고

저 푸른 달 옛날에

내 모습 같아서 너무

서글프더라.

호령

소년이 저 하늘을 호령하던

수 없이 많은 날들에

어찌 밤이 길었는지

소년의 손에 쥐어진'

많은 꿈과 희망들로

그 소년 다시

꽃을 피우리라

맹세하네

오늘 밤 하늘은 어둡고

또 어둡네

멍청하기만 한 소년

오늘밤은 저 별들을

호령할것을 맹세컨데

오늘 밤에도

별은 무수히 많구나

생각하네